Re·See·Pic vol.3 JEJU
© 손성주 허진 이정우 문지연 박세민 양상호, 2017

1판 1쇄 인쇄 2017년 11월 23일 | **1판 1쇄 발행** 2017년 12월 1일

글·사진 손성주 허진 이정우 문지연 박세민 양상호
기획 허진 | **디자인** 문지연

펴낸이 허진 | **펴낸곳** 레시픽 | **등록** 2017년 4월 20일(제2017-000044호)
주소 서울시 중구 삼일대로4길 19, 2층 | **전화** 070-4233-2012
이메일 reseepics@gmail.com | **인스타그램** instagram.com/reseepic

ISBN 979-11-960943-3-1 04660

RE · SEE · PIC

vol.3

JEJU

CONTENTS

Wave Sound

손성주

Sotto voce

Animato

Pesante

Ritenuto

Largo

Lento

Brillante

Stretto

Maestoso

올레가 보여준 풍경

허 진

남이 만들어 놓은 길을
그대로 따라가는 것에 시큰둥했었다.
좋은 길 놔두고
굳이 빙 둘러 가는 것의 의미도 몰랐다.

산티아고 순례길을 가기 전
체력테스트 삼아 걷기 시작한 게
올레길과의 처음 만남이었다.

하지만 올레길은 연습길이 아니었다.
완주를 목표로 하는 코스도 아니었다.
인생에 연습이나 정답이 없듯이.

힘들고 지쳤을 때 주변을 둘러보면
어김없이 올레 표시들이 보인다.

바람에 나부끼는 파랑, 주황 리본
길바닥에 그려진 화살표
그리고 조랑말을 형상화한 간세.

그렇게 반가울 수가 없다.

'이번 코스는 좀 수월하네~
이렇게 쭉 가면 좋겠다'

라고 생각하고 걷다보면
길 중간에 간세가 가로막고 있다.

눈에 보이는 곧게 뻗은 좋은 길을 놔두고 골짜기 방향으로 가란다.
'아 이녀석 우리를 또 어디로 보내려는 거야?'

어제밤부터 지치지 않고 내린 비 덕분에
여기저기 물 웅덩이가 길을 막고 있다.

우회로라도 있으면 좋겠지만
애써 찾아봐도 상황은 비슷하다.

마침 밀려온 바닷물까지 합쳐져 길과 강이 뒤섞여 있다.
올레 표시도 안 보인다.

얼마 안 남았는데,
이미 반쯤 젖었으니 그냥 푹 빠져버리자.

용감하게 도랑에 발을 담그며 길을 걷는다.
길 끝은 때론 그 자체가 목표가 되어
우리를 움직이게 만든다.

'다음엔 장화를 챙겨 와야지'

올레를 따라 걷다 보면,

마을 깊숙히 들어가 사람을 만나고
아름다운 자연에 넋을 잃기도 하고

때론 생각하지 못했던
슬픈 역사를
마주하기도 한다.

잃어버린 마을 – 곤을동 –

"4·3사건으로 하여 이 고장을 지키다 가신 님들의 명복을 두 손 모아 빌면서
다시는 이 땅에 4·3사건과 같은 비극이 재발하지 않기를 간절히 소망하며
이 표석을 세운다."

– 곤을동 '잃어버린 마을' 표석 중에서 –

"여기 봐! 여기 봐!"

걷는 것에 조금 덜 집중하면
좀 더 많은 것들이 마음 속으로 들어온다.

NEVER LAND

이정우

"나는 건 정말 쉬워. 즐거운 일을 상상해 봐!"

피터팬은 내일이면 어른이 되는 웬디와

그녀의 두 동생 존, 마이클과 함께 네버랜드로 가려 한다.

하지만 네버랜드는 날아야 갈 수 있는 곳이다.

그들은 하늘을 날기 위해 즐거운 상상을 한다.

아이들은 눈 내리던 성탄절 모습,

선물을 가득 싣고 하늘을 나는 썰매 등을 상상하고

거기에 팅커벨의 마법의 가루가 더해지자 그들은 날 수 있게 된다.

- 피터팬(Peter Pan)(세계 애니메이션 백과, 한울엠플러스(주))

하늘을 날며 즐거운 일들이 벌어지는 곳.

우리들 마음속에는 자신만의 네버랜드를 간직하고 있다.

도시는 메마르고 삶은 거칠지만

잠시 하늘을 향해 바라보고 있으면

마음은 어느새 깊은 곳에 감춰둔 네버랜드를 향해 떠나고 있다.

이내 어딘지 모를 그곳은 꿈꾸지 않더라도 닿을 수 있는 제주였다.

언제든 날아갈 수 있지만 다시 현실을 향해 떠나야 하는 곳.

떠나왔지만 언제나 그리워하는 곳.

지독한 현실에서 벗어나 영원히 살고 싶은 동경의 대상이 되는

그러나 나는 알고 있다.

살고 싶고 벗어나고 싶지만 뜬 구름 같은 것임을

그저 동경하고 그리워하는 것만으로 제주는 그런 곳이다.

다시 오쿠다양

문지연

제주의 여행 가이드

사마귀   바람   오름

제주는 예로부터 세 가지가 많아 삼다도라 불리었다(더라).

돌

바람   또   바람

(제주도까지 와서
오락하는)

여자

(일어나자마자
스마트폰 보는)

여자

(먹으러 갈 때
누구보다 발빠른)

여자

여행 중에 사진을 찍다보면, 자연스럽게 홀로 뒤쳐진다.
그러면 그때부터 친구들의 뒷모습이 보인다.

평소에는 힘들다, 힘들다 하며 어깨가 축 처지던 녀석들이지만
다행히 여행만 가면 비가 와도 눈이 와도 발걸음이 씩씩하다.

이것이 바로 여행을 자주 가는 이유일지도.

길 찾는
너

사진 찍는데
기다려주지
않는 너

성산일출봉 보면서
소원 비는 너와 너

예쁘게
잘 나온 너

눈보라 속 너

치과 가게 만든 너

무단횡단 하는 너

파란하늘 아래서 장풍 쏘는 너 · · · · ·

제주도에 가면 뭘 찍어도 다 작품이 될 줄 알았다.
김영갑 작가님 같은 오름 사진도
어딜 가든 팡팡 찍을 줄 알았다.

제주도니까.
제주도는 다 그런 줄 알았으니까.

근데 뭐, 같이 있으면 웃음만 터져서
원하던 사진을 못 찍었다. (핑계)
멋진 오름 사진도 못 찍었다.

그래도 보면 기분 좋아지는 사진을 채집해 왔으니
그것만으로 충분.

다시 오쿠다양, 제주!

율도국

박세민

왠지 그런 곳에 가면 찾을 수 있을 것 같다.

사람과 자연이 아슬아슬 맞닿아 있는 곳.
따뜻한 햇빛과 엄마품 같은 푸근한 바다가 펼쳐진 곳.

어둠과 비가 내리지 않는 곳.
전화와 *톡이 울려 대지 않는 곳.
공인중개사 박실장님도 모를 그런 곳.

언젠가 그곳에,

우리의 핑크빛 꿈을 그려보자.

대자연을 오롯이 품은 우리의 요새를 건설하자.

팍팍한 삶이 보대낄 때면 우리의 율도국을 검색한다.

*스타그램이 추천하는 핫플레이스.

이번엔 제주도다.

 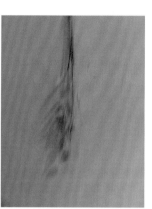 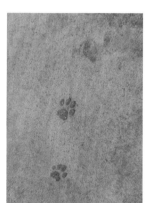

팍팍한 삶이 보대낄 때면 우리의 율도국을 검색한다.

사람과 자연이 아슬아슬 맞닿아 있는 곳.
따뜻한 햇빛과 엄마품 같은 푸근한 바다가 펼쳐진 곳.
현실과 상상이 만나는 어느 애매한 곳.

그 섬에 내가 있었네

양상호

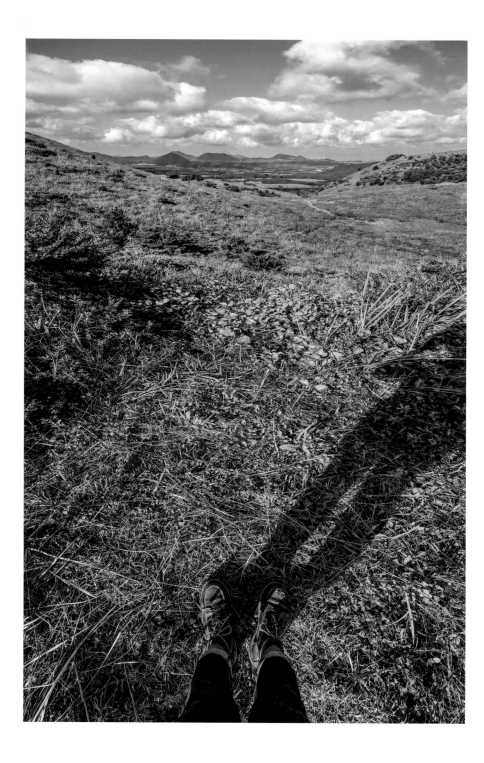

그
섬
에

내
가

있
었
네

사랑하는 그이는 내게 말했다.
"지금은 사라진 제주의 평화와 고요가 내 사진 안에 있다"고.
그가 사랑했던 공간은 이제 사람으로 넘친다.
사람들을 위해 공간 또한 변했다.
좋으면서도 한편 씁쓸하다.
치열하게 각자의 삶을 살던 사람들은 제주를 찾았다.
조용하고 편안한 쉼을 누리고 돌아갔다.
때론 시끌벅적 유흥을 즐기다 떠났다.
그의 말이 맞는 듯하다.
평화와 고요는 이제 영영 사라져버린 듯.

발걸음을 옮겼다.
사람 없는 곳으로.
더 깊은 곳으로, 더 아득한 곳으로.

바람이 와 닿았다.
풀벌레들이 푸드득 춤을 추었다.
발 위로 햇빛이 내려앉았다.
노루가 짖었고, 구름은 바다를 향해 달렸다.
외마디 신음이 터져 나왔다.
순간이 닳을까 오래도록 그 자리를 지켰다.
어쩌면, 평화 그리고 고요를 만난 건지도.

Re.See.Pic_ vol.3
photographer

손 성 주

sonsj123@naver.com

sonsungjoo.com

instagram.com/sungjoo.son

문 지 연

azaaza83@naver.com

instagram.com/moonjibol

허 진

lumimaster@gmail.com

facebook.com/lumidraw

instagram.com/okiobba

이 정 우

010.7277.8628

blog.naver.com/skyume

instagram.com/photographer_leejungwoo

박 세 민

seminpark747@gmail.com

www.sammypark.com

instagram.com/sammy_park

양 상 호

roxette82@hotmail.com

instagram.com/roxette0416

여행을 다녀오고 사진만 남은 줄 알았는데,
자세히 보니 사이사이 이야기 꽃이 피었습니다.
다시 보고 싶은 사진책, Re·See·Pic